Jean Paquin

Blanche

Illustrations
Nadia Berghella

Collection Oiseau-mouche

Éditions du Phœnix

© 2010 Éditions du Phœnix

Dépôt légal, 2010
Imprimé au Canada

Illustrations : Nadia Berghella
Graphisme de la couverture : Guadalupe Trejo
Graphisme de l'intérieur : Hélène Meunier
Révision linguistique : Claire Jaubert

Éditions du Phœnix

206, rue Laurier
L'île Bizard (Montréal)
(Québec) Canada H9C 2W9
Tél.: (514) 696-7381   Téléc.: (514) 696-7685
www.editionsduphoenix.com

**Catalogage avant publication de Bibliothèque et
Archives nationales du Québec et Bibliothèque et
Archives Canada**

Paquin, Jean, 1958-

    Blanche
    (Collection Oiseau-mouche ; 10)
    Pour enfants de 6 ans et plus.
    ISBN 978-2-923425-35-1
    I. Berghella, Nadia. II. Titre. III. Collection: Collection
Oiseau-mouche ; 10.

PS8631.A696B52 2010   jC843'.6   C2010-940210-3

PS9631.A696B52 2010

Conseil des Arts   Canada Council   Nous remercions le Conseil des
du Canada   for the Arts   Arts du Canada de l'aide accordée
à notre programme de publication.

Éditions du Phœnix remercient la SODEC pour l'aide accordée à leur programme de publication. Nous reconnaissons
l'aide financière du gouvernement du Canada par l'entremise
du Programme d'aide au développement de l'industrie de
l'édition (PADIÉ) pour nos activités d'édition.

Jean Paquin

Blanche

Éditions du Phœnix

À Edouard,
mon premier lecteur

1

Une fin d'été
dans l'Arctique

« Mais que se passe-t-il ? Qui a enlevé l'eau ? Bizarre… Qu'est-ce que c'est ? » Je crie tout en tombant, glissant sur le dos, sur cette drôle de surface lisse.

— C'est de la glace ma fille, l'eau est gelée. Tu n'as pas remarqué qu'il faisait froid la nuit dernière ?

— Tu sais, moi, dès que j'ai un peu froid, je me colle tout de suite sur toi, maman. Alors, je n'ai rien senti de spécial.

L'eau est glacée sur les petits étangs de l'Arctique, loin, au pôle Nord, en ce matin de la fin du mois d'août. Je ne le sais pas encore, mais bientôt, ce sera l'heure du grand départ. Nous devrons partir pour un très long voyage. Quitter cette belle vallée couverte d'herbe et de fleurs, au

8

pied de ces montagnes, dont les sommets sont blancs aujourd'hui.

La vie s'apprête à changer pour moi, après des semaines passées à explorer les moindres recoins de la toundra, tout en suivant papa et maman. Mais, j'y pense : c'était surtout eux qui me suivaient courant, parfois, à toute allure, derrière moi. Ils avaient l'air de s'amuser follement… Ah ! Ces adultes !

En marchant, je murmure : « Comme j'ai grandi vite ! »

— Que dis-tu ?

— Rien, maman.

— D'accord, mais ne t'éloigne pas trop.

Pas moyen d'être tranquille : quand ce n'est pas maman, c'est papa !

Ils sont nerveux ces temps-ci. Ça discute beaucoup entre adultes depuis quelques jours. Dès qu'ils en ont la chance, ils se réunissent en petits groupes. Ils semblent élaborer des plans. Préparent-ils une

fête ? Une fête ! Quelle bonne idée !

J'ai entendu mes parents dire qu'ils souhaitaient que tout se passe bien. « Déjà, racontait maman à oncle Raoul, que nous n'avons que Blanche cette année. Notre fille unique… Un seul petit parce que… C'est de la faute de… »

Zut ! Je n'ai pas été capable d'entendre la suite : ils s'éloignaient tout en parlant.

C'est vrai, j'y pense : nous étions quatre petites boules jaunes à quitter notre nid duveteux. Quatre oisons énergiques, suivant papa et maman, tout en piaillant et en agitant nos minuscules ailes. Mais, bien vite, je me suis retrouvée seule. Où sont partis les autres ? Je ne sais pas… Il faudrait qu'un jour je m'informe.

Cette disparition explique peut-être pourquoi mes parents me suivent de si près depuis des semaines. Vous auriez dû les voir lors de mes premiers vols. Pas bien hauts et un peu malhabiles, je dois bien l'avouer. Mais il faut bien commencer quelque part ! Papa était dans tous ses états. Il avait peur que je me fasse mal. Pourquoi ? J'étais pourtant grande et belle avec mes plumes grises et blanches.

Je vole mieux maintenant. Il faut dire que nous nous sommes beaucoup entraînés tous les trois, faisant plusieurs tournées au-dessus de la vallée. Toujours un peu plus chaque jour, papa et maman me répétant régulièrement à quel point il est important de s'entraîner.

S'entraîner ? S'entraîner ? Qu'est-ce qu'ils veulent dire par là ? Je ne comprends pas tout. Honnêtement, je ne cherche pas toujours à comprendre. Moi, je m'amuse. Tiens, je vais justement aller faire un tour.

— Ne t'éloigne pas trop Blanche, me rappelle maman en me voyant m'envoler.

— Non, non, juste un petit tour et je reviens.

2

Le départ

Papa et maman sont fébriles ce matin, très fébriles même. Hier, ils ont passé toute la journée à parler avec mes oncles et tantes. La fête est-elle pour bientôt ? Aujourd'hui ? Qui sait ? Restons aux aguets !

Les voilà justement qui avancent vers moi.

— Blanche, veux-tu venir ici ? J'ai quelque chose d'important à te dire.

— Oui papa.

Je lui réponds avec un petit air détaché, feignant la surprise. Je ne veux pas le décevoir en lui montrant que j'ai tout deviné.

— As-tu remarqué le blanc sur les montagnes depuis quelques jours ?

— Le blanc ? Oui... Pourquoi ?

L'interrogeant à mon tour, je me demande quel est le rapport avec la fête.

— C'est de la neige. Bientôt, il y en aura partout et nous devrons partir.

— Partir ? Pour aller où ? La fête a-t-elle lieu plus loin ?

— Quelle fête ?

— Celle que vous préparez avec oncle Raoul, tante Gilberte et les autres.

— Nous ne parlions pas de fête, ma petite Blanche, mais de notre départ d'ici.

— Notre départ ?

— Oui. Comme je viens de te l'expliquer, la neige va bientôt recouvrir la vallée.

— Et qu'est-ce que ça change ?

— La neige va bientôt nous empêcher de rejoindre l'herbe. Nous ne pourrons plus manger. Alors nous devons partir.

J'étais vraiment loin d'imaginer ça, avec mon idée de fête. Nous allons partir d'ici et papa vient de m'annoncer que le départ est prévu pour demain matin, au lever du soleil, et que nous devons nous préparer. Il veut voler avec moi aujourd'hui, un dernier exercice avant de quitter cette vallée où je suis née.

Il paraît que le voyage va être long et notre route jalonnée de multiples dangers. De dangers ? Qu'est-ce que ça veut dire ?

— Viens-tu Blanche ? me lance papa tout en s'envolant.

— Oui, oui, j'arrive, dis-je, tout en battant des ailes pour m'envoler.

Nous volons tous les deux au-dessus de la vallée. Nous montons plus haut, cette fois-ci. Papa me dit de le suivre jusqu'à la montagne. Comme c'est beau, ce blanc sur les rochers gris qui pointent à travers la neige !

Après plusieurs minutes de vol, nous rentrons rejoindre maman. Nous mangeons un peu, beaucoup même. Nous broutons de l'herbe jusqu'à la tombée du jour. Ça creuse l'appétit de voler ainsi !

Le lendemain matin, les premières lueurs éclairent à peine l'horizon que mes parents me réveillent en me poussant doucement de leur bec.

— Es-tu prête Blanche ? me demande maman.

— Pour le fameux départ ?

— Oui, notre « fameux départ »,
comme tu dis.

— Promets-nous de ne pas nous
quitter d'une aile, poursuit papa.
Ce sera peut-être un peu confus au
début. Mais tu verras, tout ira bien.

— Confus ?

J'ai à peine le temps de finir ma
phrase que, tout à coup, tout s'anime

autour de nous. Des familles s'envolent, les unes à la suite des autres. On dirait une énorme vague. Papa et maman sont en alerte. Puis, soudain, c'est à notre tour ! Juste après oncle Raoul et tante Gilberte.

— Ne t'éloigne pas Blanche !

— Non, non, je suis là, papa.

— Fais la même chose que moi. Reste près de moi et tout va bien se passer.

— D'accord !

Tous les parents y vont de leurs conseils. Ça parle beaucoup dans le ciel ce matin. Ils parlent tous en même temps, quoi…

Et nous montons, nous montons… Je n'ai jamais volé aussi

haut. Même le sommet de la montagne s'éloigne sous nous ; il est de plus en plus petit. Nous continuons toujours de monter.

— Viens, approche, Blanche. Nous allons maintenant rejoindre tes cousins et cousines. Place-toi derrière moi. Tu avanceras plus facilement.

— Oui. Je suis là papa.

— Bon ! En route vers le Sud maintenant !

— Le Sud ? Où est-ce ?

Mais il ne m'entend plus. Nous sommes partis. Je trouve étrange de penser que je ne reverrai plus ma chère vallée. Et dire qu'il n'y a pas eu de fête !

3

Une première escale

Nous volons depuis longtemps, très longtemps même. Le soleil est bas à l'horizon. Nous survolons des montagnes enneigées. Au-dessous, j'aperçois des vallées semblables à celle que je viens de quitter.

Nous volons maintenant au-dessus de l'eau. De grandes îles

blanches flottent à la surface. C'est beau, vraiment beau ! On dirait de grands radeaux immaculés posés sur la mer bleue, glissant doucement, se cognant les uns contre les autres.

Mais j'ai froid. Je m'approche de maman, qui vole devant moi depuis peu. Elle voulait permettre à papa de se reposer.

— Maman ! Maman ! Je suis fatiguée.

Elle ne m'entend pas. Je me rapproche un peu.

— Maman !

— Oui Blanche, qu'y a-t-il ?

— Je suis fatiguée. Est-ce que nous arrivons bientôt ?

— Oui, oui. Vois-tu la terre là-bas ?

— Oui.

— Nous allons nous y poser pour reprendre des forces pendant quelques jours.

« Des forces ? Je ne comprends pas bien, mais je fais confiance à maman. »

— Tiens bon ma fille, nous arrivons bientôt !

Maman avait raison : déjà, oncle Raoul, qui vole en tête du groupe depuis quelque temps, commence à descendre.

Nous nous posons dans une vallée, tout près d'une rivière coulant au pied d'une montagne. Elle est moins haute que celle de mon pays natal. Il n'y a pas de neige ici. Pourquoi ? Je m'informerai plus tard ; pour l'instant, j'ai faim. J'imite donc papa et maman qui picorent doucement. Que c'est bon de manger un peu ! Des heures sans rien avaler, ce n'est vraiment pas mon genre !

Des centaines de petits oiseaux bruns et blancs passent soudain

au-dessus de nous. Et si j'en profitais pour me faire des amis ?

— Hé les amis ! Qui êtes-vous ? Où allez-vous ?

— Nous cherchons un endroit pour manger, me répond l'un d'eux qui revient en volant vers moi.

— Pour manger ? Mais pourquoi voler aussi vite et changer aussi souvent de direction ? Ne savez-vous pas où aller ?

— Que veux-tu dire ?

— Vous ne semblez vraiment pas savoir où aller.

— C'est notre façon de faire : monter, descendre, tourner. Nous finissons par nous poser. Nous devons manger beaucoup, car la route sera longue au cours des prochaines semaines.

— Tiens, vous aussi ? Nous, nous venons à peine d'arriver et maman m'a dit que ce n'était qu'une étape pour reprendre des forces.

— Vous voyagez en famille ?

— Oui, avec papa, maman et toute la parenté…

— Blanche ! Blanche ! Viens nous rejoindre, me crie maman qui parle avec papa, un peu plus loin.

— Oui, j'arrive. Je dois vous quitter monsieur. Au fait, quel est votre nom ?

— Bruno. Bruno le bruant. Et toi ?

— Blanche l'oie. Au revoir et bonne route !

— Bonne route aussi !

Mon nouvel ami s'empresse d'aller rejoindre son groupe. « À quoi bon se faire des amis pour ne plus les revoir ensuite ? »

— Ne t'éloigne pas trop Blanche. Tu pourrais faire de mauvaises rencontres.

— Mais maman… Il est gentil Bruno.

— Lui oui. Mais il faut faire attention.

— Pourquoi ?

— On ne sait jamais. Vous étiez quatre au début ma chérie.

— Que s'est-il passé ?

— Un renard nous a attaqués. Vous étiez à peine sortis du nid. Tu es la seule à avoir survécu.

— Que c'est triste !

Bruno et ses amis ont passé un bon moment dans la même vallée que nous. Puis, un beau matin, toute la bande a quitté la région.

Peu de temps après, papa est venu me trouver, en fin de journée. Il m'a demandé de me tenir prête pour le lendemain matin.

— Pourquoi ?

— Parce que nous partons demain matin.

— Encore ?

— Oui, encore. Tu sais, Blanche, nous avons une longue route à faire.

— D'accord, je vais me préparer. Tu sais, papa, je me sens plus en forme qu'à l'arrivée.

— C'est normal, tu as repris des forces. Tu as même grossi !

Moi, grossi ? J'ai faim et puis, on m'a dit de bien manger. D'ailleurs, si j'y allais d'un petit gueuleton de fin de journée ? On me dit de manger et après on me reproche d'avoir grossi… Franchement, c'est à n'y rien comprendre !

4

Les pieds dans l'eau

Ce matin, c'est papa qui annonce le départ. Mon papa !

Aussitôt le signal donné, tout le monde a suivi. Toujours cette même vague blanche puisque nous partons les unes après les autres. Nous sommes plus disciplinées que nous en avons l'air, nous les oies !

Comme la dernière fois, nous montons toujours plus haut. Et avec toujours autant de bruit. Ah ! Ces adultes et leurs ordres ! Ce n'est pourtant pas notre première envolée !

— Blanche ! Blanche !

— Oui, j'arrive.

— Viens près de moi. Place-toi derrière, pour que tu puisses voir le paysage.

Je trouve le paysage plutôt monotone. Des vallées défilent au-dessous, à perte de vue. Soudain, tout change.

— Papa ! Qu'est-ce que c'est ?

— De la forêt, ma fille. C'est justement ce que je voulais te montrer.

— De la forêt ?

— Oui, ce sont les arbres qui constituent la forêt. Nous devons les survoler avant de nous poser à nouveau.

J'ai compris pourquoi il parlait de reprendre des forces. Je pensais que nous ne nous arrêterions jamais et j'avais un peu raison. Là, juste devant nous, je vois une grande étendue d'eau bordée de grands champs. Je trouvais cet endroit idéal, mais apparemment, il n'a pas plu à tout le monde et nous avons continué notre route.

— Est-ce que nous arrivons bientôt ?

Je n'ai pas pu m'empêcher de poser la question à papa.

— Bientôt, Blanche. As-tu remarqué que nous volons plus bas ?

— Oui, j'ai remarqué. Puis-je descendre encore un peu ? Il fait moins froid.

— Non, suis-moi ! Ne me quitte surtout pas d'une aile lorsque nous allons descendre.

« Ne me quitte pas d'une aile », « Ne me quitte pas d'une aile ». Toujours ces mises en garde… Comme si j'étais encore un bébé !

Cette fois-là, je pensais bien que nous allions arriver. Nous venions de traverser une grande étendue d'eau et, au-dessous de nous, de grands champs et de grands sentiers noirs s'étendaient, à perte de vue.

— Sommes-nous arrivées ?

— Non, pas encore. Ne descends surtout pas ici !

— L'endroit a l'air pourtant agréable…

Pour seule réponse, papa continue de voler. Le jour tombe ; le soleil a disparu et nous volons encore ! Je dois être vraiment fatiguée car j'ai l'impression de voir des étoiles… au-dessous !

— Papa, pourquoi les étoiles sont-elles au-dessous de nous ?

— Ce ne sont pas des étoiles, Blanche, mais des lumières.

— Des lumières ?

— Oui, un peu comme des soleils miniatures. Ces lumières

permettent aux gens de la ville de s'éclairer lorsqu'il fait noir.

— Des gens ? Une ville ?

— Les humains se réunissent ainsi. Un peu comme nous, ils vivent en familles. Je t'expliquerai.

— D'accord, mais est-ce que nous arrivons bientôt ?

— Oui. Nous allons nous poser un peu plus loin. Vois-tu la rivière, là-bas ?

— Oui, on dirait que les étoiles se baignent dedans.

— Un peu plus loin, il y a un endroit tranquille pour passer la nuit.

Papa avait raison. Sauf qu'il ne m'avait pas dit que nous passerions la nuit les pieds dans l'eau !

Nous ne sommes pas restées longtemps à cet endroit, quelques jours à
peine. C'était beau, pourtant. Comme
elle était large et magnifique cette
rivière ! Ces falaises et toutes ces
couleurs : du rouge, du orange, du
jaune… Quel beau décor !

— Pourquoi partir, papa ?

— Parce que notre voyage n'est
pas terminé. Ici aussi, il y aura de

la neige dans peu de temps. Nous ne pourrons plus manger dans ces champs où nous allons tous les jours.

— Mais nous n'arrêterons jamais !

— Si, ne t'en fais pas. Repose-toi bien cette nuit. Nous partons demain matin ma chérie.

— D'accord, je me tiendrai prête.

Et, collée contre papa et maman, j'ai passé une dernière nuit sur l'eau de cette petite baie. C'est agréable, finalement, de dormir tout en se laissant flotter, le bec enfoui dans les plumes. Je me laisse bercer par les vagues ; c'est calme et papa dit que ça nous protège des dangers.

40

5

Dans la boue !

C'est maman qui est aux commandes ce matin lorsque nous partons. Il fait à peine jour. Je vois les lumières de la ville, au loin. Celles que je prenais pour des étoiles…

— Viens Blanche, suis-nous, nous devons monter encore.

Comme elle est grande la rivière que nous survolons depuis un bon moment maintenant ! Toute cette eau ! Et toujours ces mêmes couleurs dans les falaises ; c'est si beau ! Je suis de très bonne humeur ce matin.

— Maman ?

— Oui Blanche, qu'y a-t-il ?

— J'aimerais bien chanter ! Si nous chantions !

— Chanter ?

— Oui maman, chanter. Écoute.

Et j'entonne un « *tôt le matin, une oie, sa mère et puis son père,*

ont pris leur envol pour découvrir le monde... ». Maman, papa et moi avons continué au rythme de *« tôt le matin, deux oies... »*, puis *« trois »* et ainsi de suite. Rapidement, toute la bande s'est mise à chanter. Une belle façon de tuer le temps pendant ces longs vols. Je suis fière de moi ; j'ai l'impression d'avoir semé de la joie chez les familles.

Je cesse soudain de chanter. Je reste bouche bée devant le paysage.

— Où nous as-tu conduits, maman ? Il y a tellement d'eau ici !

— Nous sommes parvenues à une étape importante de notre voyage.

— Comme c'est beau !

— C'est vrai. Regarde attentivement. Au bout de la rivière, nous allons tourner.

— Et ensuite ?

— Nous allons survoler l'eau jusqu'à un endroit où nous allons passer quelque temps… si tout va bien.

— Si tout va bien ?

— L'endroit est très dangereux. Nous verrons une fois là-bas.

— Dangereux ?

— Oui. Dangereux ma petite, très même ! Promets-moi de ne pas me quitter !

— Oui… « Ne pas te quitter d'une aile », je sais !

— Blanche, je veux que tu me promettes !

— Oui maman, je te le promets.

Encore ces recommandations ! On m'avait parlé de dangers avant de quitter ma belle vallée. Tout va très bien pourtant. La seule chose, c'est la fatigue. Je suis encore petite, je trouve, pour voler autant et aussi loin.

Comme je suis fatiguée, je me rapproche un peu de maman qui vole toujours à la tête du groupe.

— Maman, est-ce que nous arrivons bientôt ?

— Oui, Blanche. Encore un effort.

— Je veux bien, mais je trouve ça long. Et j'ai faim.

— Je sais. Vois-tu la grosse montagne, là-bas ?

— La dernière, celle qui se jette dans l'eau ?

— Oui. C'est vers là que nous nous dirigeons.

— Mais c'est pourtant beau en bas, ici. Ça me rappelle un peu l'endroit que nous venons de quitter.

— Oui, mais il n'y a pas assez de place pour s'abriter.

— S'abriter ?

— Allez viens ! Nous sommes presque arrivées. Et…

— Je sais, je sais, « ne me quitte pas d'une aile » … Ouiiiiii, maman !

Je tente de chanter à nouveau, mais je suis trop fatiguée ; le cœur n'y est pas. Je vole silencieusement.

Enfin, nous y sommes ! Cet endroit ressemble à ce que maman m'en a décrit. Mais pourquoi aller plus loin au lieu de descendre directement ? Je ne comprends pas toujours les adultes. Je décide de descendre. Ils finiront bien par me rejoindre.

— Blanche ! Non ! Reviens ici tout de suite !

— Mais maman, nous sommes arrivées et je suis fatiguée.

— Reviens ici et ne discute pas. On ne peut pas descendre ainsi. Je t'ai déjà dit que c'était dangereux.

Quel détour ! En plus, nous avons regagné de l'altitude. Mais que se passe-t-il ? Pourquoi ne pas descendre dans le champ pour manger ? J'ai faim, moi !

— Maman ! J'ai faim ! J'aimerais bien descendre dans le champ.

— Non ma fille, c'est meilleur sur le bord de l'eau.

— Vraiment ?

— Tu vas voir. Justement, nous y sommes.

Aussitôt posée, maman s'enfouit la tête dans la boue. Elle en ressort la tête toute brune, une tige pendant sur le côté droit du bec.

— Ça a l'air dégoûtant !

— C'est délicieux !

Maman plonge de nouveau la tête dans la boue. On dirait qu'elle n'a pas mangé depuis des mois. Et tous les autres y vont aussi goulûment.

— Allez, Blanche ! Goûte ! C'est bon !

— Peut-être, mais moi, je ne veux pas me salir.

— Blanche !

— J'ai ma fierté, moi ! Et je ne veux pas que les autres me voient la tête couverte de boue.

— Regarde ton père, ton oncle, tes cousins et cousines… Ils mangent avec appétit.

— Peut-être, mais moi, je ne mangerai pas ici !

Je n'ai vraiment pas envie de me salir pour manger des racines de plante. Je préfère de loin déguster les petites tiges et les feuilles tendres ; c'est bien plus propre.

Je m'envole donc pour aller manger dans les champs que j'ai repérés en arrivant. J'ai à peine le temps de quitter le sol que papa me rejoint en criant :

— Blanche ! Reviens tout de suite ! Blanche ! Reviens ici !

Je continue, décidée. J'ai faim. Je sais ce que je veux, moi, et je ne veux pas me salir.

Bang ! Bang ! Bang !

— Blaaaannnche ! Blaaaannnche !, hurle papa de toutes ses forces.

Pourquoi est-il si énervé ?

Bang ! Bang ! Bang !

Ce bruit, à nouveau. Pourquoi papa descend-il comme ça ? Il tourne comme une toupie, de plus en plus vite, l'aile pendante. Joue-t-il sans moi ?

Intriguée par ce drôle de jeu, je lui crie :

— Attends-moi, Papa ! Je veux jouer, moi aussi. Regarde !

Je fais comme lui. Je pointe une aile vers le bas. Tout tourbillonne autour de moi. Je descends vite, vite, vite ! C'est si étourdissant ! Je vais rejoindre papa.

Bang ! Bang ! Bang !

— Blanche ! Remonte ! Remonte ! me lance papa d'une voix inquiétante.

Il ne joue pas du tout. Il est sérieux. Très sérieux même ! J'obéis et remonte sans poser de questions.

Papa me rejoint et m'ordonne de le suivre. Nous rentrons voir maman en faisant de nouveau un détour au-dessus de l'eau.

— Je suis rassurée de vous voir ! J'ai eu tellement peur en entendant ces bruits. Je n'osais même pas regarder. Blanche, je t'avais dit de ne pas nous quitter. Ton père a failli se faire tuer en allant te chercher.

— Se faire tuer ?

— Oui. As-tu entendu ces bruits ?

— Oui. Qu'est-ce que c'était ?

— Des chasseurs avec leurs fusils. Les plombs sont passés tellement près que j'ai été déstabilisé, ajoute papa.

— Fusils ? Plombs ? Chasseurs ?

— Des chasseurs embusqués sur la rive, dans ces trous recouverts de branches creusés dans la boue. Ainsi cachés, ils n'attendaient que notre passage. Tu sais, ils profitent souvent du manque d'expérience des jeunes comme toi.

— …

— Comprends-tu ce que je voulais dire maintenant, par dangereux ?

— Oui, papa. Je suis désolée, tu sais ?

— Bon, mangeons maintenant. Nous partons demain matin.

— Mais maman, je vais me salir.

— Blanche !

— Oui, maman…

Je mange avec papa pendant que maman surveille les alentours. Je m'enfouis la tête dans la boue avec dégoût. Je dois cependant admettre que cette nourriture n'est pas mauvaise, même si je préfère vraiment manger dans les champs.

6

Escale dans une oasis

Tel qu'entendu, nous quittons les lieux le lendemain, avant midi. Seules quelques familles partent, cette fois-ci. Oncle Raoul et tante Gilberte nous accompagnent avec mes cousins et cousines.

Nous montons, tout en faisant une grande spirale au-dessus de l'endroit que nous venons de quitter, puis nous nous dirigeons vers l'eau que nous survolons.

La vue est magnifique à cette hauteur. La grande rivière – papa parle d'un fleuve – que nous suivons pendant un bon moment est très belle. Nous volons très haut ce matin. Nous nous mettons à chanter *« Tôt le matin, une oie, sa mère et puis son père, ont pris leur envol pour découvrir le monde... »*

Soudain, papa tourne. Nous voici au-dessus de la terre ferme. Au-dessous, il y de grands champs à perte de vue. Cela signifie qu'il y aura de la nourriture et, détail important, que je vais pouvoir manger proprement.

— Blanche, veux-tu venir ici ?

— Oui papa.

Je sens qu'il va encore me dire de faire attention.

— Vois-tu cette tache bleue, là-bas ?

— Oui. Pourquoi ?

— C'est un lac. C'est là que nous allons. Je veux que tu puisses le reconnaître et retrouver ton chemin si jamais il nous arrive quelque chose, à ta mère et à moi.

Papa pense certainement à notre mésaventure de la veille.

Arrivées au-dessus du lac, nous nous mettons à descendre en spirale. Une façon de faire plus sécuritaire que nous avons adoptée depuis que nous survolons des régions habitées.

— Nous allons nous poser là-bas, non loin de la pelouse, dit papa en descendant.

Nous survolons l'eau sur laquelle nous nous posons finale-ment. Oncle Raoul nous imite, suivi de sa famille.

— Je suis contente d'être arrivée. Sommes-nous ici pour longtemps ?

— Oui, nous serons en sécurité ici.

— Mais ces humains sur le bord de l'eau, avec des tubes diri-gés vers nous, sont-ils dangereux ?

— Non pas eux, m'assure papa.

— Comment le sais-tu ?

— Parce qu'ils ne sont pas cachés. Écoute-les parler… On dirait une véritable basse-cour ! Penses-tu qu'ils feraient autant de bruit s'ils voulaient nous surprendre ?

— J'imagine que non.

— Ce sont des gens qui observent les oiseaux. Ils s'amusent à nous regarder.

Heureusement, je suis propre aujourd'hui ! S'ils nous avaient vues la tête enfouie dans la boue, ils n'auraient certainement pas eu envie de nous regarder bien longtemps.

Nageant près de mes parents, j'en profite pour faire un brin de toilette avant de placer ma tête sur mon dos pour faire une petite sieste. Je suis si fatiguée !

C'est ici que nous avons séjourné le plus longtemps depuis

la première escale, après le départ de ma douce vallée. J'ai même revu mon ami Bruno le bruant à quelques occasions. Il m'a dit qu'il était ici pour très longtemps, jusqu'au printemps. Le printemps, mais qu'est-ce que le printemps ?

C'est toujours le même rituel depuis notre arrivée : petit brin de causette au lever du jour pour décider où nous allons manger et nous partons. Papa et maman m'ont fait découvrir un nouvel aliment dans les champs : de petites graines jaunes tombées au sol. Ces graines n'ont pas trop mauvais goût, je dois bien le reconnaître. En plus, ce n'est pas salissant de les manger !

Moi, je trouve ça important parce que, chaque fois que nous revenons

sur le lac, en fin de journée, des gens nous observent. Ils restent là, debout ou assis, sur des morceaux de bois, à discuter, tout en nous regardant.

Un après-midi, comme nous rentrions un peu plus tôt, j'ai profité d'un instant d'inattention de papa pour me diriger vers le bord

du lac. Je voulais aller faire con-
naissance avec ces humains. Je me
disais qu'ils devaient être aussi
gentils que Bruno.

— Blanche !

— Oui papa ?

— Reviens ici tout de suite !
Tu m'entends ?

Bien sûr, je l'entendais ; je ne
suis pas sourde. Dire que je venais à
peine de mettre les pattes hors de
l'eau ! Ils me paraissaient pourtant
bien sympathiques ces humains. Il y
en avait même un qui me faisait des
signes tout en marmonnant dans un
drôle de langage… Mais les autres
semblaient le comprendre.

— Je t'avais pourtant dit de ne
pas t'éloigner Blanche !

— Je sais, papa, mais tu m'avais aussi dit que ces humains n'étaient pas dangereux.

— Peut-être, mais il ne faut pas prendre de risques. On ne sait jamais…

Et moi qui pensais me faire des amis !

7

La dernière envolée

Un beau matin d'un bleu magnifique, je décide de faire une petite envolée au-dessus de l'eau. Un vent du nord souffle sur le lac. Je veux juste voler seule, sans mes parents. J'ai à peine décollé que maman me crie :

— Blanche ! Où vas-tu ? Reviens ici !

— Mais maman…

— Blanche !

— D'accord, je redescends.

Mais, juste avant de tourner, je vois Bruno et sa bande dans les herbes, près du lac. Je décide d'aller le saluer.

— Blanche !

— Juste le temps de dire bonjour à Bruno et je reviens.

Je me pose près de la rive. Soudain, je perds pattes ! « Pas encore de la glace ! » Le temps de prononcer ces mots et je glisse, les pattes en l'air, tentant de me retenir de mes deux ailes… Ces plumes ne sont vraiment pas efficaces pour s'agripper.

Bruno me regarde en riant. Vexée d'être tombée devant tout le monde, je salue Bruno rapidement et retourne trouver maman.

— Maman, il y a de la glace au bord du lac. Comme dans notre vallée.

— Tu as raison ma chérie. Ça signifie que nous allons partir.

— Encore ?

— Oui, car bientôt, le lac sera complètement gelé.

— Où allons-nous cette fois ?

— Plus au Sud

— Et quand partons-nous ?

— Bientôt j'imagine. Je vais en parler avec ton père et ton oncle. Je pense que nous avons l'énergie nécessaire pour parcourir cette dernière étape.

Nous avons quitté le lac pour aller manger dans les champs, comme d'habitude. C'est vrai que la température s'est bien rafraîchie, ce matin-là, mais rien d'inconfortable non plus.

Au retour, papa m'a annoncé qu'il en avait discuté avec d'autres et que le départ avait été fixé à demain. Cette journée de vol ne devrait pas être trop longue, selon lui et nous nous arrêterons même sûrement dans un champ pour manger. Puis nous poursuivrons notre vol vers une grande baie, située tout près de ce que papa a appelé une frontière. « Une frontière ? »

Le lendemain matin, comme prévu, nous prenons notre envol.

70

Nous quittons cet endroit tranquille où nous venons de passer plusieurs jours. Comme toujours, les parents y vont de leurs recommandations. Tant et si bien qu'on ne doit entendre qu'eux de l'extérieur. Comme pour chaque départ, nous montons très haut.

Le champ dont parlait papa semble plus loin que d'habitude. Comme prévu, nous avons passé la nuit au bord de cette grande baie. J'aime vraiment dormir sur l'eau en me laissant bercer par les vagues.

Ce séjour est écourté car, dès les premières lueurs du jour, le lendemain matin, papa me demande :

— Es-tu prête Blanche ?

— Oui, papa.

— Nous partons pour la dernière étape de notre voyage.

— Ce matin ?

— Dans quelques instants. Tiens, écoute, les parents s'adressent à leurs enfants. Ils s'assurent qu'ils sont prêts pour le vol. Nous allons voler très haut aujourd'hui.

— Et tu vas me dire de ne pas m'éloigner…

— Et toi, tu vas vouloir chanter…

— Oui, oui ! J'aime chanter en volant !

— D'accord, mais prépare-toi. Regarde, les autres ont déjà pris leur envol.

Et comme toujours, notre envolée a pris la forme d'une grande vague blanche. Nous sommes montées très haut, comme papa l'avait annoncé.

J'ai passé tout le voyage entre papa et maman. Oncle Raoul ouvrait la voie avec toute la famille à sa suite. "Fier comme un paon" ! « Qu'est-ce que c'est, un paon ? Ils ont de drôles d'expressions, ces adultes ! »

Au bout de quelques heures de vol, nous ne voyons plus que du bleu à l'horizon. Du bleu et de petites lignes blanches, un peu floues, qui disparaissaient les unes après les autres.

— Maman, est-ce de l'eau, là-bas ?

— Oui ma fille. C'est la mer. Nous allons passer l'hiver dans cette région, dans les grands marais avoisinants.

— Des marais ?

— Oui, ce sont des refuges dans lesquels nous pourrons nous reposer. Comme nous le faisions au lac que nous avons quitté avant-hier.

— Et nous mangerons dans des champs ?

— Oui, et au printemps, nous retournerons dans notre vallée, là-bas, dans le nord.

— Comment ? Veux-tu dire que nous allons refaire tout ce voyage ?

— Oui ma chérie. Deux fois par année.

— Deux fois ?

Je n'étais même pas encore arrivée à destination que, déjà, maman m'annonçait que nous allions recommencer tout ce périple… Pourquoi ? N'est-ce pas confortable, là où nous allons ? Pourquoi y aller ?

— Allez Blanche, suis-moi. Nous arrivons. Nous allons commencer à descendre.

— Je sais, je sais… « ne t'éloigne pas d'une aile »…

TABLE DES MATIÈRES

Jean Paquin

Journée magique que cette première visite au cap Tourmente pour Jean Paquin ; une journée d'automne déterminante qui restera gravée dans sa mémoire. Les oies étaient partout, dans les champs, les fossés, la batture et le ciel. Quel spectacle fascinant !

Depuis, les oiseaux occupent une place importante dans sa vie. Rédacteur en chef de la revue QuébecOiseaux durant de nombreuses années, il a publié plusieurs ouvrages sur les oiseaux.

Désireux de partager sa passion et de faire connaître les oiseaux, il aime rencontrer les gens lors de conférences ou d'autres activités afin de parler d'oiseaux et… d'environnement. Vivant à Drummondville, il aime se déplacer afin de promouvoir l'observation des oiseaux et sensibiliser à la protection de la gent ailée et à la conservation de leur habitat.

Nadia Berghella

Je suis une gribouilleuse professionnelle ! Une Alice au pays des merveilles, une gamine avec un pinceau et des ailes... Donnez-moi des mots, une histoire, un thème ou des sentiments à exprimer. C'est ce que je sais faire... ce que j'aime faire ! De ma bulle, j'observe la nature des gens. Je refais le monde sur du papier en y ajoutant mes petites couleurs ! Je sonde l'univers des petits comme celui des grands, et je m'amuse encore après tout ce temps ! Je rêve de continuer à faire ce beau métier, cachée dans mon atelier avec mes bas de laine et de l'encre sur les doigts.

www.nadiaberghella.com

Sources Mixtes
Groupe de produits issu de forêts bien
gérées et de bois ou fibres recyclés.
www.fsc.org Cert no. SGS-COC-2624
© 1996 Forest Stewardship Council
FSC

Achevé d'imprimer
en mars deux mille dix, sur les presses
de l'imprimerie Gauvin, Gatineau, Québec